Colección original dirigida por Canela (Gigliola Zecchin)
Diseño de interior: Helena Homs
Diseño de tapa: Paula Lanzillotti

Montes, Graciela
    Más chiquito que una arveja, más grande que una ballena / ilustrado por
Sergio Kern - 15ª ed. - Buenos Aires : Sudamericana, 2009.
    64 p. : il. ; 20x13 cm. (Pan Flauta)

    ISBN 950-07-1926-6

    1. Literatura Infantil y Juvenil Argentina. I. Kern, Sergio, Ilust. II. Título
CDD A863.928.2

Primera edición: marzo de 1989
Decimoquinta edición: julio de 2009

© 1989, Editorial Sudamericana S.A.®
Humberto I 555, Buenos Aires.

Impreso en la Argentina
ISBN 10: 950-07-1926-6
ISBN 13: 978-950-07-1926-1
Queda hecho el depósito que previene la ley 11.723.

www.rhm.com.ar

Esta edición de 2.000 ejemplares se terminó de imprimir en Encuadernación
Araoz S.R.L., Avda. San Martín 1265, Ramos Mejía, Buenos Aires, en el mes
de junio de 2009.

colección
pan flauta

LA AUTORA

Graciela Montes nació en marzo de 1947 en Florida, Gran Buenos Aires. Es profesora en Letras.
Escribe y edita libros para chicos.
Entre otros escribió: *Nicolodo viaja al país de la cocina*; *Amadeo* (Premio Lazarillo 1980); *Doña Clementina Querida, La Achicadora*; *Historia de un amor exagerado*; *Y el árbol siguió creciendo*; *Tengo un monstruo en el bolsillo* y *La verdadera historia del ratón feroz*. Además de escribir cuentos hace ricas milanesas.

EL ILUSTRADOR

Sergio Kern nació en Rosario, en 1954; trabajó como impresor y tipógrafo. Le gusta diseñar libros de poesía para los amigos, hace historietas y escribe poemas y cuentos además de ilustrarlos. Le gusta mucho viajar en su vieja moto Guzzi y ver cómo amanece en la ruta.

MÁS CHIQUITO QUE UNA ARVEJA, MÁS GRANDE QUE UNA BALLENA

Graciela Montes
Ilustraciones: Sergio Kern

Había una vez un gato muy grande.
Tan grande, pero tan grande, que no pasaba por ninguna puerta.

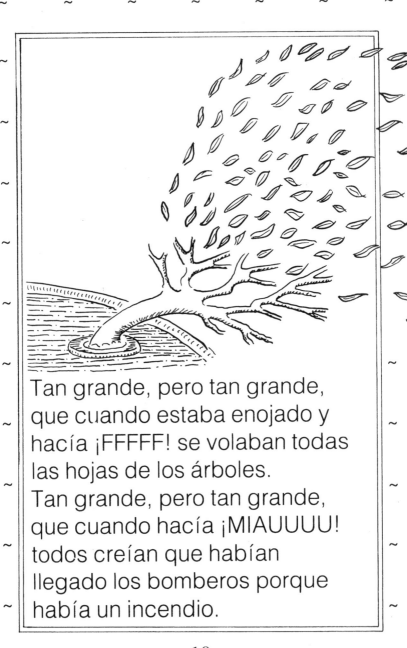

Tan grande, pero tan grande,
que cuando estaba enojado y
hacía ¡FFFFF! se volaban todas
las hojas de los árboles.
Tan grande, pero tan grande,
que cuando hacía ¡MIAUUUU!
todos creían que habían
llegado los bomberos porque
había un incendio.

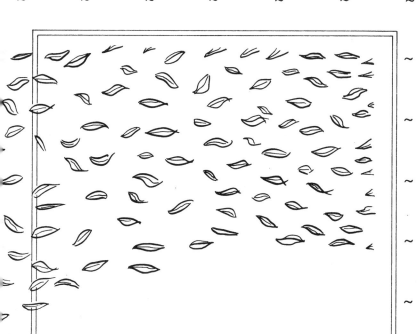

Y había también un gato muy chiquito.
Tan chiquito, pero tan chiquito, que dormía en una latita de paté y, cuando hacía frío, se tapaba con un boleto capicúa.

Tan chiquito, pero tan chiquito
que, cuando andaba de acá
para allá, todos lo confundían
con una pelusa.
Tan chiquito que, para verlo
bien, había que mirarlo con
microscopio.

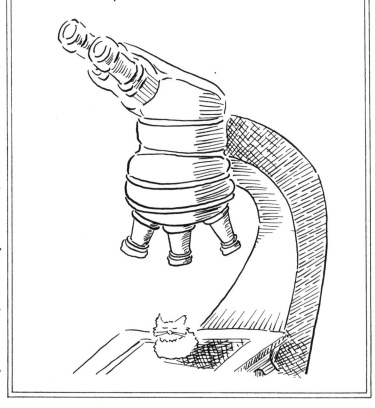

El Gato Grande era muy famoso en el barrio.

Todos los vecinos hablaban de él y lo mimaban mucho.

—¡Qué gato tan hermoso! —decían.

—¡Los gatos grandes son hermosísimos! —decían.

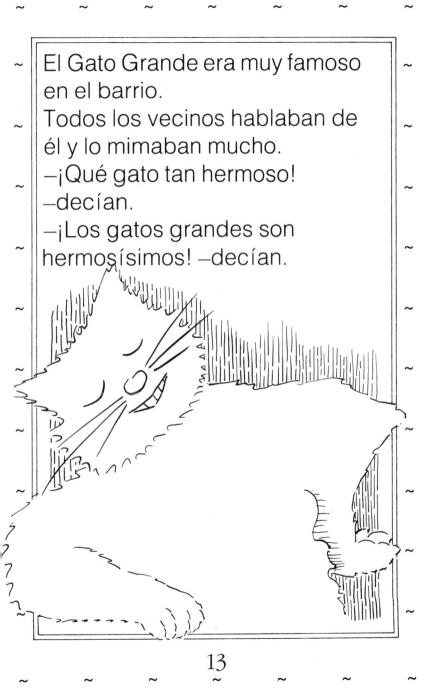

El Gato Grande comía mucho.
A la mañana bien temprano los
vecinos le traían cinco
palanganas de leche tibia.
Al mediodía le traían una
carretilla de hígado con
mermelada (que era su comida
favorita).

A la tardecita le dejaban preparada una bañadera de polenta, por si se despertaba con hambre en la mitad de la noche.

Cuando los vecinos le traían la comida, el Gato Grande sonreía (porque algunos gatos saben sonreír) y se ponía a ronronear.

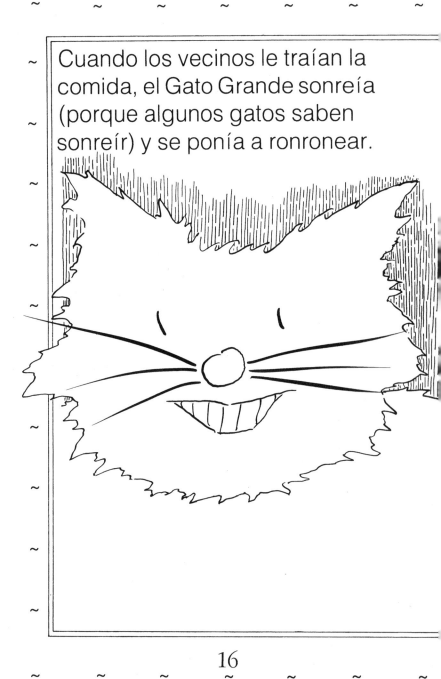

Cuando el Gato Grande
ronroneaba hacía un
RRRRRRRRRRR tan fuerte que
todos miraban para arriba
porque creían que pasaba un
helicóptero por el cielo.

El Gato Chiquito, en cambio, no era nada famoso. Nadie hablaba de él en el barrio y nadie lo mimaba ni un poquito. (En realidad, al Gato Chiquito casi nadie lo veía siquiera.)

Al Gato Chiquito nadie le traía
comida nunca. Ni a la mañana.
Ni al mediodía. Ni a la
tardecita.
Claro que el Gato Chiquito
comía muy poco. Con dos
gotas de leche tenía bastante. Y
una aceituna le duraba una
semana. (Al Gato Chiquito le
encantaban las aceitunas.)

Cuando el Gato Chiquito
encontraba una aceituna,
aunque nadie lo veía, también
sonreía. Y, aunque nadie lo
escuchaba, también
ronroneaba.

Un día el Gato Chiquito salió a dar un paseo.
Y caminó y caminó por la calle más larga del barrio.
Tip tap tip tap tip tap, caminaba el Gato Chiquito.

Y ese mismo día el Gato Grande
también quiso salir a dar un
paseo.
Y caminó y caminó por todas las
calles, y también por la calle
más larga del barrio.
Top tup top tup top tup,
caminaba el Gato Grande.

El Gato Chiquito y el Gato
Grande caminaron y caminaron.
Cada vez que el Gato Grande
caminaba dos cuadras, el Gato
Chiquito terminaba una
baldosa.

Y cuando el sol estaba bien alto, pero bien alto, el Gato Grande y el Gato Chiquito se encontraron frente a frente. Los dos en la misma vereda de la calle más larga del barrio.

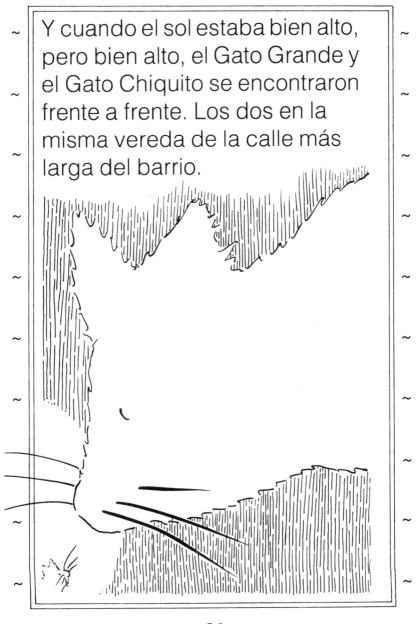

El Gato Grande hizo ¡FFFFF!
para mostrarle al Gato Chiquito
que él era el más fuerte. Hizo
¡FFFFF! para que el Gato
Chiquito lo dejase pasar primero.
Pero el Gato Chiquito no se
movió de su baldosa. Ni un
poquito.
Entonces el Gato Grande hizo

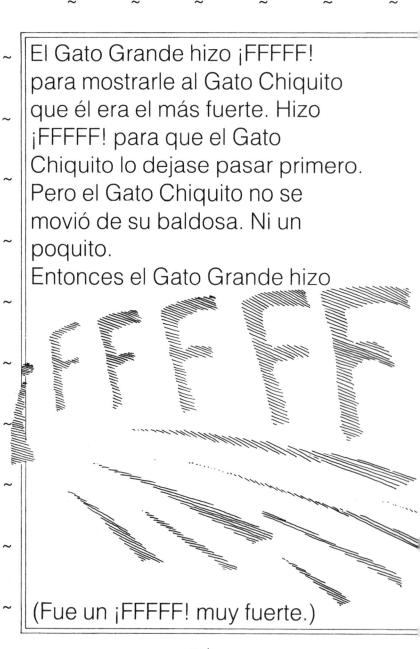

(Fue un ¡FFFFF! muy fuerte.)

Y el Gato Chiquito rodó como una pelusa hasta el cordón de la vereda.
Y se cayó en un charquito tan hondo pero tan hondo que casi se ahoga.

Pero no se ahogó.
Nadó hasta la orilla del charco y
se trepó de nuevo al cordón.
(El Gato Chiquito era chiquito,
¡pero valiente!)

Se subió de un salto a un adoquín que había por ahí y él también hizo ¡fffff! (fue un ¡fffff! muy chiquito). El Gato Chiquito hizo ¡fffff! porque él también estaba enojado.

Y ahí se quedaron los dos,
frente a frente.
Al Gato Grande, el Gato
Chiquito le parecía más
chiquito que una arveja.
Al Gato Chiquito, el Gato
Grande le parecía más grande
que una ballena.

Entonces el Gato Grande se enojó muchísimo más. Se enojó como sólo pueden enojarse los gatos grandes.

Estiró la pata y sacó las uñas. (Tenía unas uñas filosas como espadas filosas.)

Y ¡zas! le dio un zarpazo al Gato Chiquito.

Pero el Gato Chiquito no tuvo miedo.

De un salto se subió a la pata del Gato Grande y le tiró con mucha fuerza de los pelos cortitos que le crecían justo al lado de las uñas filosas. (A los gatos les duele muchísimo cuando les tiran de los pelos cortitos, sobre todo si son los que crecen al lado de las uñas filosas.)

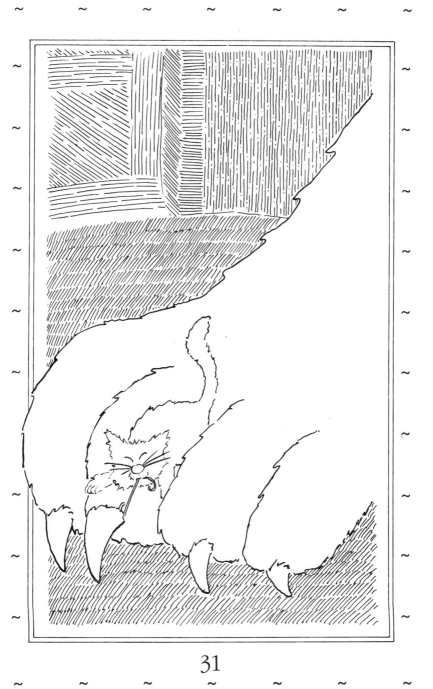

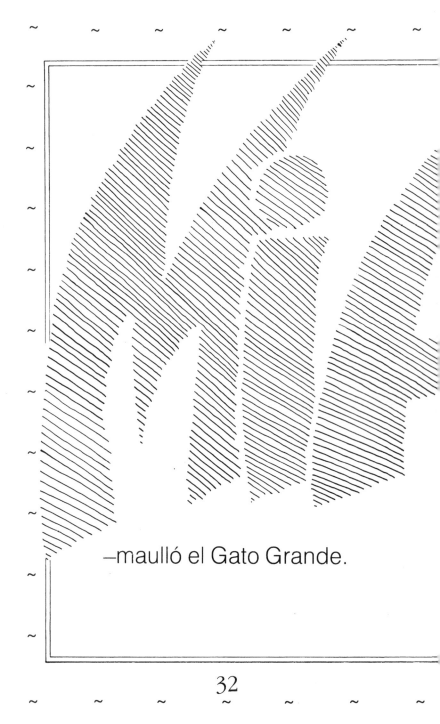

—maulló el Gato Grande.

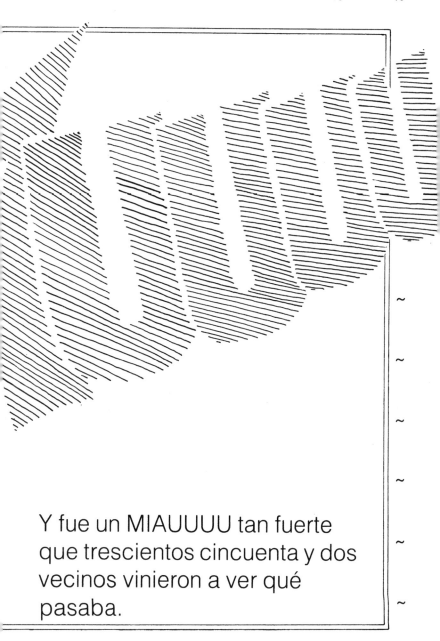

Y fue un MIAUUUU tan fuerte
que trescientos cincuenta y dos
vecinos vinieron a ver qué
pasaba.

Los trescientos cincuenta y dos vecinos se pusieron en ronda a mirar.
Todos miraban con ojos redondos, pero nadie entendía nada de nada.

Todos veían al Gato Grande,
que se revolcaba por el suelo y
maullaba y maullaba y
maullaba.
Pero nadie veía al Gato
Chiquito, que estaba bien
escondido entre los pelos del
Gato Grande.

Y corría por el lomo...

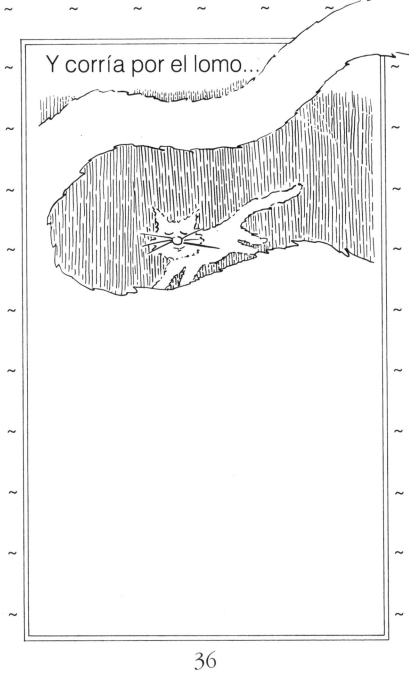

... de la cabeza a la cola...

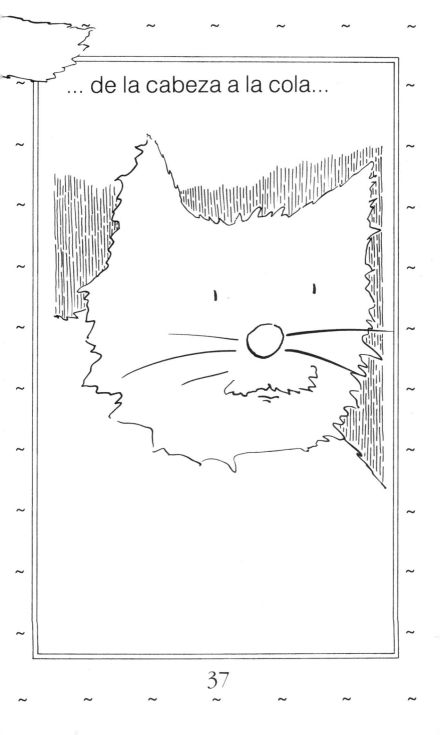

... de la cola a la cabeza...
... y se trepaba a una oreja...

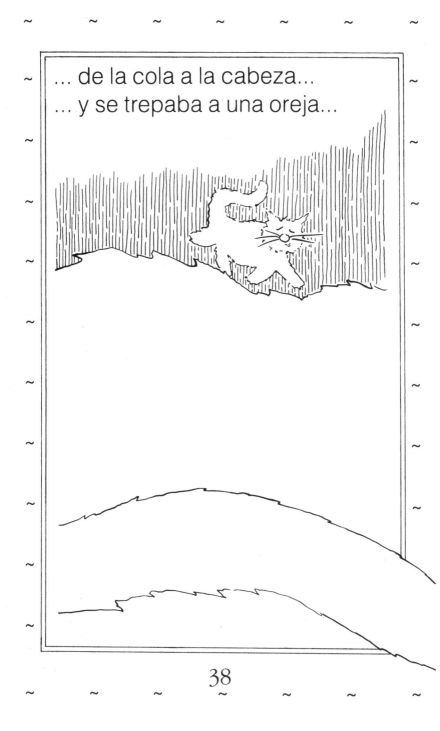

... y se hamacaba en los bigotes...
... y le hacía cosquillas en la nariz y...

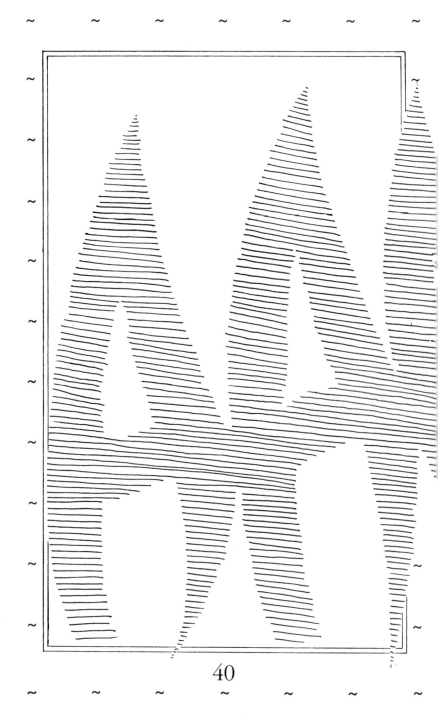

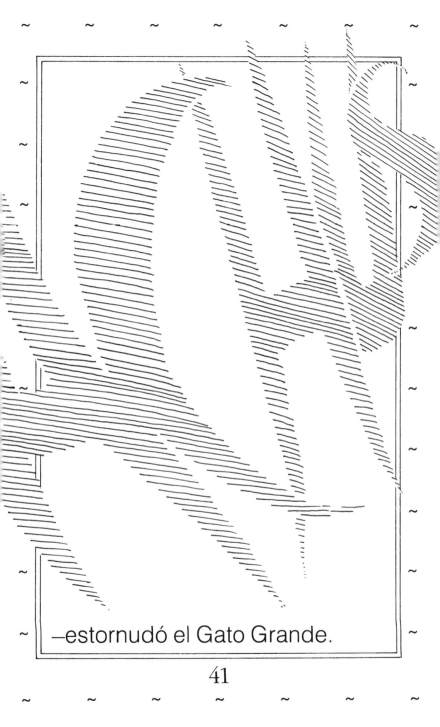

—estornudó el Gato Grande.

Y los trescientos cincuenta y dos vecinos que miraban con ojos redondos salieron volando por el aire como barriletes. Todos menos el Gato Chiquito, que estaba bien agarrado del bigote más gordo del Gato Grande y resistió el estornudo.

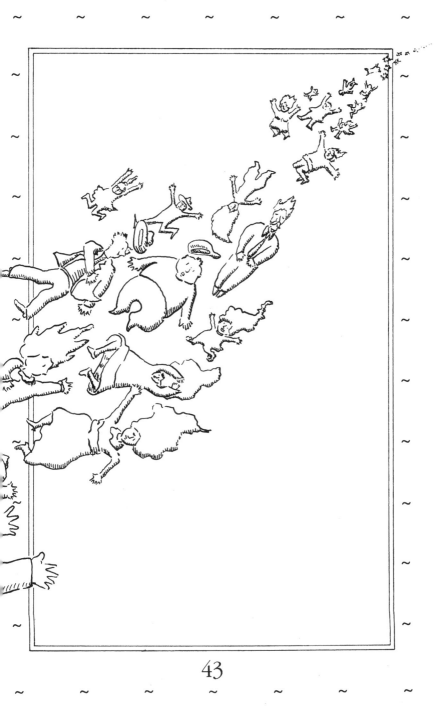

Los trescientos cincuenta y dos vecinos fueron volviendo, poco a poco.
Ya no tenían los ojos redondos. Ahora tenían las cejas fruncidas. Estaban bastante enojados.

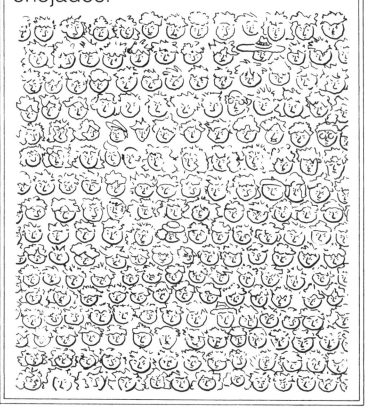

Se habían dado cuenta de que no les gustaba salir volando por el aire como barriletes.
Tampoco les gustaba tener que oír un MIAUUU más fuerte que la sirena de los bomberos.

Empezaron a protestar.

–¡Este gato está demasiado grande! –decían.

–¡Los gatos tan grandes son muy molestos! –decían.

Y después todos juntos dijeron:

–¡Ufa!

Y al Gato Grande le dio vergüenza y se puso colorado (porque algunos gatos se ponen colorados).

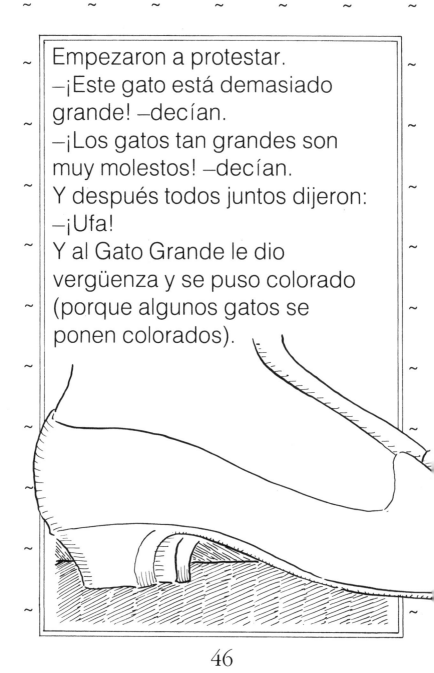

Entonces el Gato Chiquito se bajó de un salto del bigote del Gato Grande y se empezó a pasear por la vereda. Iba y venía. Y después daba un saltito. Iba y venía. Y daba otro saltito.

—¡Oia! ¡Un gato chiquito! —dijeron todos.

—¡Más chiquito que una arveja! —dijeron.

—¡Los gatos chiquitos son hermosísimos! —dijeron.

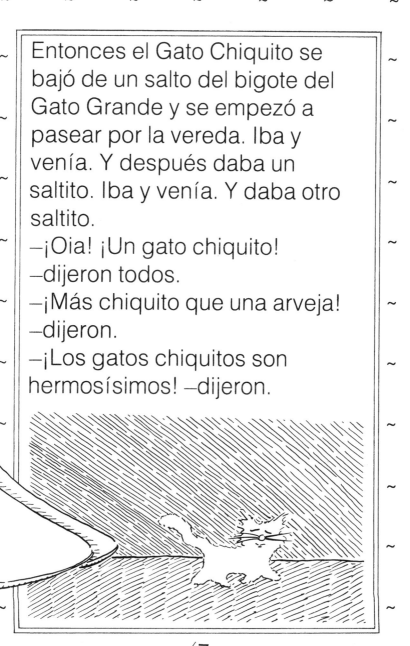

Y desde ese día, en el barrio, los gatos famosos son dos: el Gato Grande y el Gato Chiquito.
Claro que las cosas cambiaron un poco.

Los vecinos ya no le dan tanta comida al Gato Grande. Nada más que tres palanganas de leche tibia y media carretilla de hígado con mermelada.
Al Gato Chiquito, en cambio, le llevan dos pedacitos de hígado, tres aceitunas y un dedal de leche cada mañana.

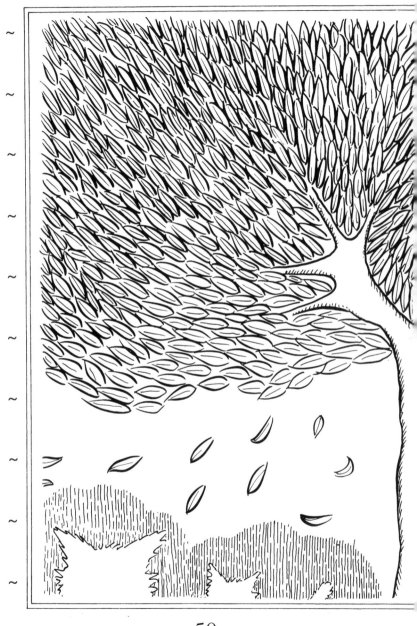

Parece ser que ahora el Gato Grande está bastante menos grande. Cuando hace ¡FFFF! ya no tira más que diez o doce hojas de los árboles.
Y parece que el Gato Chiquito está empezando a crecer.

Me dijeron que últimamente ya no entra en la latita de paté; se va a tener que mudar a una lata de duraznos en almíbar.

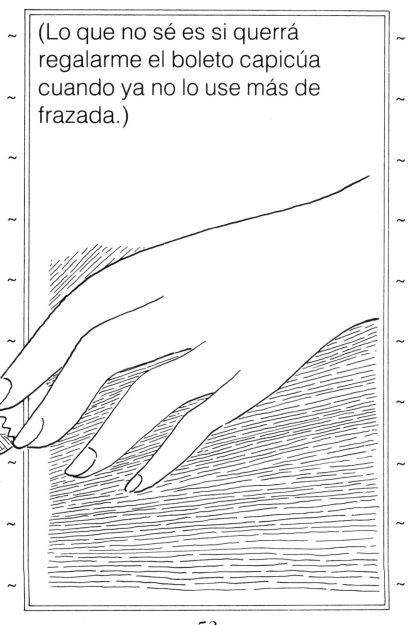

(Lo que no sé es si querrá
regalarme el boleto capicúa
cuando ya no lo use más de
frazada.)

DEL AUTOR

A este cuento lo quiero por dos razones: porque es un cuento de gatos y porque, además, es un cuento de lo grande-grande y de lo chiquito-chiquito.

No sé por qué será pero a mí me encanta meter gatos adentro de mis cuentos: tengo gatos que juegan al truco, que viven adentro de un bolsillo, que miran, que sonríen, que critican... Creo que los gatos son hermosos, misteriosos y sabios.

También me gustan las cosas grandes, muy grandes, y las cosas chiquitas, muy chiquitas; las cosas que crecen y siguen creciendo y las cosas que se achican y casi desaparecen. Adentro de mis cuentos hay gigantes que juegan a las bolitas con naranjas y también hay odos que juegan al fútbol con arvejas. Además, yo sé que cuando lo grande-grande y lo chiquito-chiquito se encuentran suceden cosas extraordinarias, fantásticas y terribles. Y ésas son las cosas de las que quiero hablar en mis cuentos.

¡Ah, me olvidaba...! Tengo otra razón más para querer a este cuento: me encantan los boletos capicúa.

DEL ILUSTRADOR

Este cuento me dio la oportunidad de dibujar sencillo, líneas negras sobre el papel blanco y nada más.

Ahora que lo veo impreso me parece que los gatos están dibujados sobre el papel de cada uno de los libros. Bueno, en realidad no es así. Porque hubiera sido muy cansador dibujar cada ejemplar.

Los cuentos ilustrados de esta manera siempre me resultaron cálidos porque dicen mucho con muy poco y así yo puedo imaginarme. Eso es lo mejor del blanco y negro. Hasta creo que estos dibujos se podrían colorear si tuvieras ganas. Siempre me quedo mirando cómo coloreamos lo que ya está dibujado en tinta negra y todos lo hacemos distinto. Unos somos prolijos y respetamos los bordes. Otros manchamos y manchamos y también queda bien.

Este cuento me dio imágenes lindas como esa en que la gente sale volando.

Mientras dibujaba me lo pasé mirando a Tigresa que es la gata de mi hija Cecilia y creo que se parece más a una arvejita que a una ballena.

CÓDIGO DE COLOR - (Edad sugerida)

Serie **Azul**: Pequeños lectores
Serie **Naranja**: A partir de 7 años
Serie **Violeta**: A partir de 9 años
Serie **Verde**: A partir de 11 años

CÓDIGO VISUAL DE GÉNERO

Sentimientos

Naturaleza

Humor

Aventuras

Ciencia-ficción

Cuentos de América

Cuentos del mundo

Cuentos fantásticos

Poesía

Teatro

COLECCIÓN PAN FLAUTA

La puerta para salir del mundo, *Ana María Shua*
Barco pirata, *Canela*
Los imposibles, *Ema Wolf*
Expedición al Amazonas, *Ana María Shua*
Más chiquito que una arveja, más grande que una ballena,
    Graciela Montes
¿Quién pidió un vaso de agua?, *Jorge Accame*
Cosquillas en el ombligo, *Graciela Beatriz Cabal*
La guerra de los panes, *Graciela Montes*
El enigma del barquero, *Laura Devetach*
El carnaval de los sapos, *Gustavo Roldán*
Cartas a un gnomo, *Margarita Mainé*
Las hadas sueltas, *Cecilia Pisos*
Puro huesos, *Silvia Schujer*
¡Basta de brujas!, *Graciela Falbo*
El monumento encantado, *Silvia Schujer*
El caballo alado, *Margarita Mainé*
Miedo de noche, *Ana María Shua*
Un largo roce de alas, *Gustavo Roldán*
La aldovranda en el mercado, *Ema Wolf*
La señora planchita, *Graciela Beatriz Cabal*
¡Al agua, Patatús!, *Gabriela Keselman*
El viaje de un cuis muy gris, *Perla Suez*
Llegar a Marte, *Adela Basch*
El hombrecito del azulejo, *Manuel Mujica Lainez*
Pahicaplapa, *Esteban Valentino*